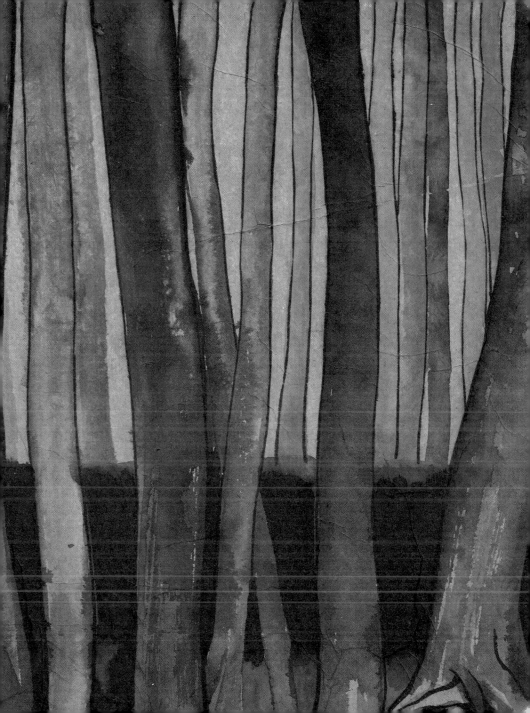

Avec mes remerciements à Francine et Michel, pour leur enthousiasme
et leur amicale participation à ce livre

ISBN 978-2-211-08663-9
Première édition dans la collection lutin poche : janvier 2007
© 2005, l'école des loisirs, Paris
Loi n° 49.956 du 16 juillet 1949 sur les publications destinées à la jeunesse : septembre 2005
Dépôt légal : juillet 2009
Imprimé en France par Mame Imprimeurs à Tours

Chen Jiang Hong

Le prince tigre

lutin poche de l'école des loisirs
11, rue de Sèvres, Paris 6ᵉ

Au cœur de la forêt profonde, la Tigresse pleure
la mort de ses petits. Des chasseurs sont venus
et les ont tués. Elle n'a pas pu les sauver.

Depuis ce jour, elle va et vient, le cœur empli de haine et de chagrin, et rôde autour des villages.

Un soir, elle attaque.
Elle détruit les maisons, dévore les hommes et les bêtes,
mais cela n'apaise pas sa colère, au contraire.

Le lendemain, elle attaque un autre village,
et puis un autre encore. La nuit tombée,
on n'entend partout que des cris de terreur.

Le Roi a déjà levé son armée. Il interroge la vieille Lao Lao,
qui sait prédire l'avenir en jetant des baguettes de bambou
et des cailloux. « N'envoyez pas votre armée, Majesté », dit-elle.
« Cela rendrait la Tigresse plus redoutable encore.

Une seule chose peut apaiser sa colère.
Vous devez lui offrir votre fils Wen. »
« Sacrifier mon fils ? » s'écrie le Roi.
« Je vous promets, Majesté, qu'il ne lui arrivera aucun mal. »

Le Roi et la Reine ont le cœur brisé.
Wen, lui, ne semble ni triste, ni effrayé.
Quand il sort de son bain chaud, son baluchon est prêt.

La Reine lui donne une pièce de jade pour le protéger :
« Où tu seras, je serai avec toi, mon enfant ! »

Au lever du jour, le Roi emmène Wen jusqu'à la grande forêt.

« Maintenant, tu dois continuer seul. Au bout de ce pont
se trouve le territoire de la Tigresse. N'aie pas peur,
il ne t'arrivera aucun mal. »

« Je n'ai pas peur », répond Wen.
Il franchit le pont, et s'enfonce dans la forêt.

Wen marche longtemps.
Puis, fatigué, il s'endort au pied d'un arbre.

La Tigresse a senti l'odeur de Wen
Elle s'approche…

À l'instant de se jeter sur lui, tout à coup, un geste lui revient.
Elle le prend dans sa gueule comme elle prenait ses petits.
Et soudain, toute sa colère la quitte.

Très délicatement, la Tigresse repose Wen…

... et s'allonge contre lui pour le réchauffer.

« As-tu faim ? » lui demande Wen à son réveil,
en lui proposant les provisions de son baluchon.
« Sais-tu danser le tambour royal ? »

La Tigresse ne répond pas,
mais elle l'emmène à travers la montagne,
jusqu'à l'entrée d'une grotte.
Cette grotte est un passage…

... qui conduit au cœur de son territoire.

Wen est émerveillé.

Un jour, à l'heure de la sieste, Wen découvre une pointe
de flèche dans le pelage de la Tigresse.
Elle se dresse en sursaut et rugit.
Le souvenir de sa blessure a réveillé sa colère.

Elle semble prête à dévorer Wen.

Mais à cet instant, les yeux effrayés de Wen
rappellent à la Tigresse le regard de ses petits.
Sa douceur de mère lui revient.

Elle prend très doucement Wen dans sa gueule
pour le rassurer.

La Tigresse n'attaque plus jamais les villages.
Elle veille sur Wen jour et nuit, et lui apprend
tout ce que doit savoir un petit tigre.

Les saisons passent et Wen grandit.
Bientôt la forêt n'a plus de secrets pour lui.

Mais au palais, le Roi et la Reine sont malades de chagrin.
Ils se demandent si leur fils est toujours en vie.

Un jour, le Roi n'y tient plus.
Il envoie son armée.

Les soldats se déploient dans la forêt et allument des feux.

Wen et la Tigresse sont pris au piège.

Wen se jette devant la Tigresse pour la protéger.

« Ne tirez pas ! » crie-t-il. « Reculez ! »

Soudain, une voix de femme s'élève : « Laissez-moi passer ! »
C'est la Reine.

Elle traverse les rangs des soldats et court vers son fils.
Wen reconnaît aussitôt le visage de sa mère.

« Tigresse », dit Wen, « voici mon autre mère. Vous êtes mes deux mamans, celle de la forêt, et celle du palais.

Maintenant, je dois retourner au palais pour apprendre
ce que savent les princes. Mais je reviendrai souvent,
car je ne veux pas oublier ce que savent les tigres. »

La Tigresse s'éloigne lentement et disparaît dans la forêt.

Chaque année, Wen est revenu voir la Tigresse,
qui l'attendait à l'entrée de la grotte.

Et puis un jour, il est venu avec un tout petit enfant.
« C'est mon fils », a-t-il dit. « Garde-le avec toi, le temps
de lui apprendre tout ce que doit savoir un tigre.
Alors il pourra devenir un prince. »

Cette histoire a été inspirée par un bronze du XIe siècle avant J.-C.,
fin de la dynastie des Shang.
Ce type de récipient était appelé « You ».
Celui-ci, connu sous le nom de « La Tigresse », est conservé
au musée Cernuschi, à Paris.
Par ailleurs, une légende chinoise raconte qu'un enfant
prénommé Ziwen aurait été recueilli, bébé, par une tigresse.